Pedro, el valiente

Leo Broadley

Ilustrado por

Holly Swain

SCHOLASTIC INC.
New York   Toronto   London   Auckland   Sydney
Mexico City   New Delhi   Hong Kong   Buenos Aires

A Colin, Avril y Simon,
a quienes quiero mucho.
L.B.

A Daniel, Jasmine y Hannah.
Espero que sean tan valientes como Pedro.
H.S.

Originally published in English as *Pedro the Brave*
Translated by Susana Pasternac

ISBN 0-439-41148-3

Published by Scholastic Inc., 557 Broadway, New York, NY 10012, by arrangement with
Scholastic Children's Books, a division of Scholastic Ltd. SCHOLASTIC and associated
logos are trademarks and/or registered trademarks of Scholastic Inc.

12 11 10 9 8 7 6 5 4 3 2 1   2 3 4 5 6 7/0

Printed by Oriental Press, Dubai, UAE

First Scholastic Spanish printing, September 2002

Voy a contarles la historia de Pedro, el valiente,
que pondrá los pelos de punta a mucha gente,
les enseñará a defenderse de lobos malvados
y les dirá por qué es bueno irse a
dormir temprano.

Era una noche de junio de luna plateada y llena,
bajo un cielo brillante salpicado de estrellas,
bailaban felices Dingo y Rocín, el caballo,
y Pedro tocaba la guitarra entusiasmado.

tra la la la
tra la la la

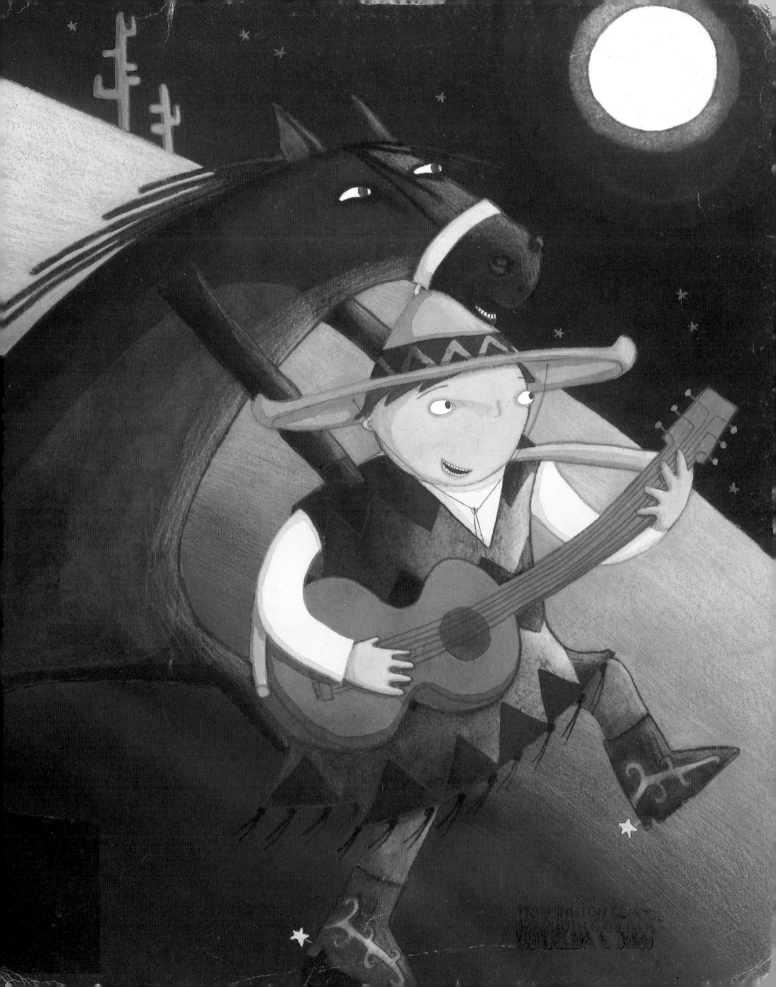

De pronto, salió del bosque un lobo muy grande,
con dientes feroces y lengua roja y babeante.
Se sentó junto al fuego y les dijo el muy bandido:
—Bonita noche, amigos, para cantar
un corrido.

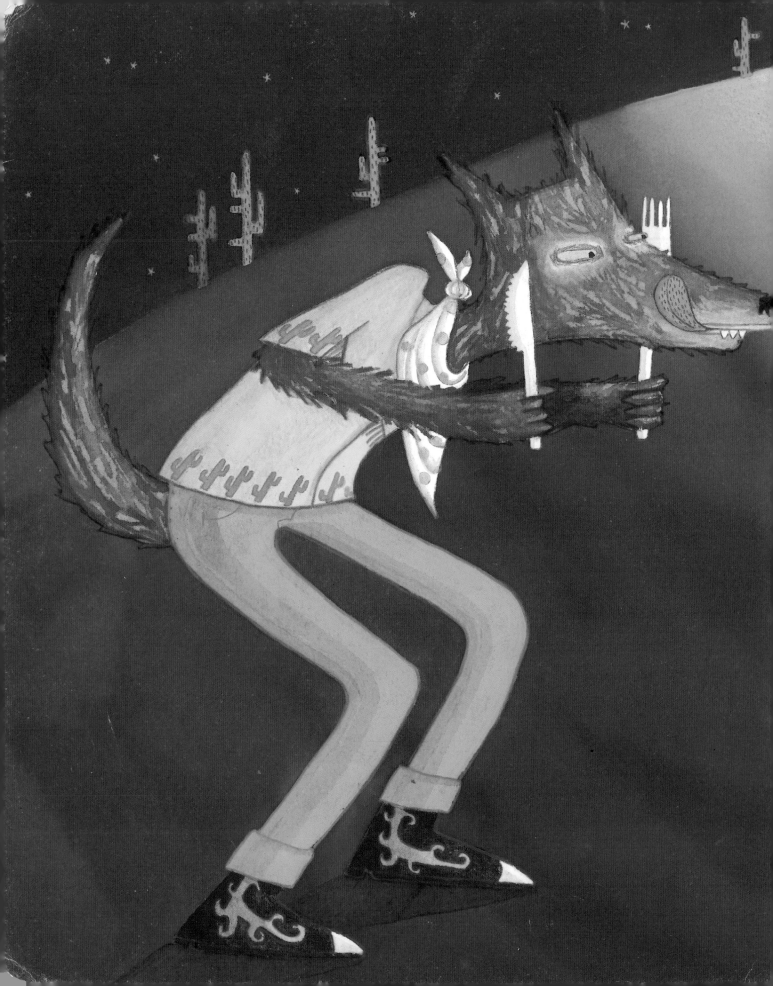

Comprendieron al instante que el lobo carne quería
y no supieron qué hacer porque era muy evidente
que tragárselos a todos era lo que pretendía.
Pero la suerte quiso que Pedro
     fuera valiente.

Pedro sacó ollas y sartenes para un banquete,
preparó el fogón y le dijo amablemente:
—Disculpe, señor lobo, usted que es tan educado,
¿podría meterse en la olla
                    para nuestro guisado?

—¿Quién, yo? —le contestó el lobo enojado.

—¡Qué idea más absurda y descabellada!

Ser yo la cena jamás hubiera imaginado.

¡El que come aquí soy yo,
mi camarada!

Pedro dijo:

—Mire, le propongo
un trato.

Si usted quiere, yo seré el primer plato,
y sin rechistar ni un poco, entraré en la marmita,
pero déjeme prepararle mi salsa favorita.

—Para eso necesito
tabasco,
whisky y
dinamita,
pólvora,
aguacate,
ajo y jamón,
cactus, páprika,
orégano y gelatina,
chile serrano,
mostaza y limón.

Pedro se volvió hacia el lobo con una sonrisa:
—Señor lobo, antes de meterme en esta salsa,
venga usted aquí y pruebe esta delicia.
Necesito una opinión que sea
sincera y franca.

Cuando digo que la salsa era picante, era PICANTE,
más picante que veinte espinas punzantes.
Estaba tan fuerte que se le cayó la ropa
y le salía fuego por la nariz y la boca.

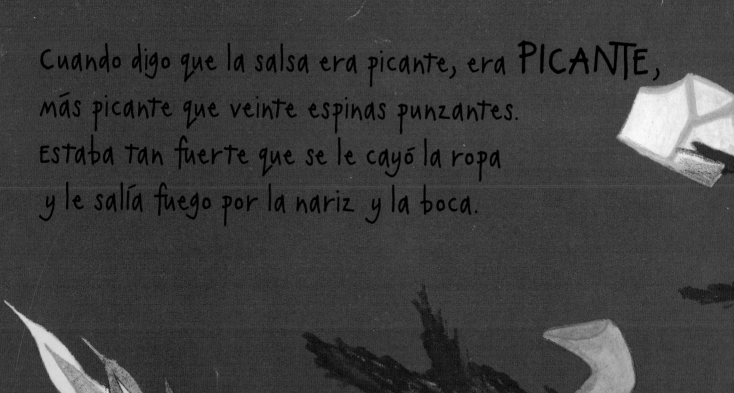

—Me siento mal —gimió el lobo
con la boca enchilada—.
Creo que mejor voy a tomarme un helado,
parece que he comido una sopa embrujada
y que cientos de bombas de fuego he tragado.

Pedro, el valiente, puso leña al fuego para avivarlo.
—Ahora, antes de que se vayan a dormir tranquilos,
toquen sus guitarras bajo este cielo estrellado,
¡que es una noche perfecta para
cantar corridos!

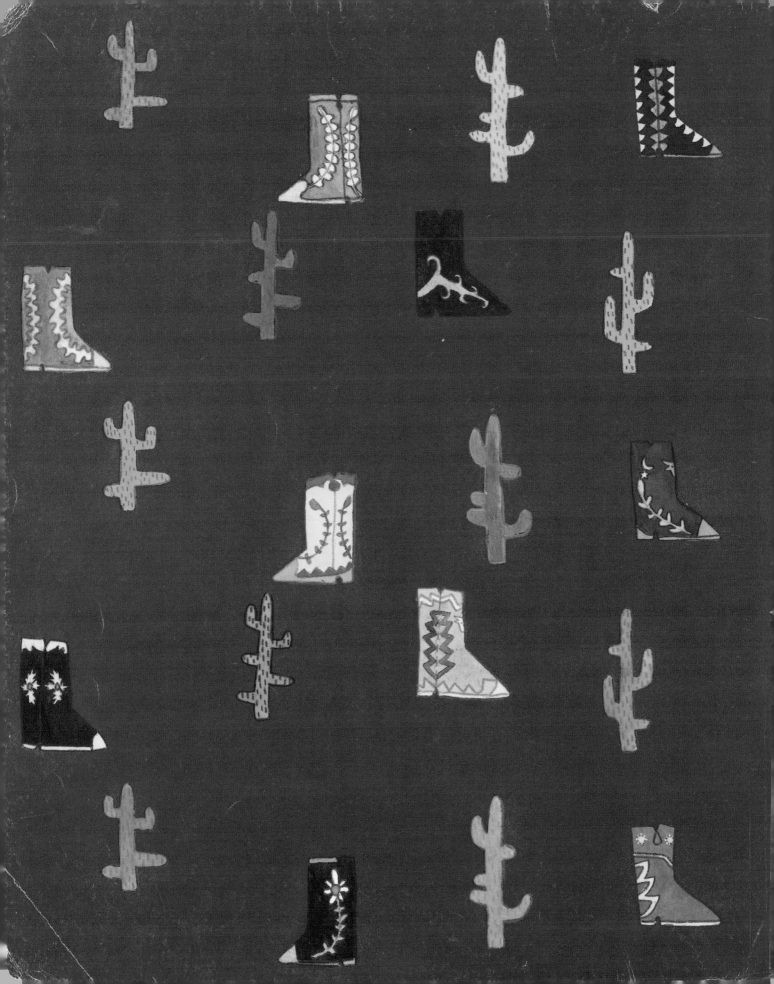